LA
PLUS
GRANDIOSE
DES AVENTURES

Traduit de l'anglais par Marie-Noël Générau

LA PLUS GRANDIOSE DES AVENTURES

... C'EST D'ÊTRE VRAIMENT SOI

PAR LES FACILITATEURS DE L'AVENTURE D'ÊTRE SOI

SOMMAIRE

POURQUOI CE LIVRE ?

Il n'y a pas de réponses dans ce livre.

Pas de solutions à vos problèmes.

Pas de bonne voie à suivre.

Zut !

Alors pourquoi diable devriez-vous le lire ?

Eh bien, ce livre est fait pour vous rappeler qui vous êtes vraiment :

une création permanente.

Arrêtez d'essayer de vous trouver.

Vous n'êtes pas assez défini pour être trouvé, mon ami.

Créez-vous.
Choisissez-vous.
Soyez vous.
Répétez.

Être vraiment soi est la plus grandiose des aventures !

QUI SOMMES-NOUS ?

En 2011, Dain Heer a écrit un livre intitulé « Sois toi et change le monde », une véritable boîte à outils innovante pour les chercheurs de ce monde.

Au fil des années, c'est devenu beaucoup plus qu'un livre… Aujourd'hui, c'est une classe, un club de lecture, un programme de facilitateurs et bien plus encore.

Cela devient un mouvement, un mouvement d'être soi créé par des personnes ayant le désir et l'exigence d'être véritablement elles-mêmes, d'être la différence, d'être davantage.

Ce livre est un recueil d'idées, de perspectives et d'histoires des Facilitateurs *Being You* formés par Dain Heer et qui facilitent les *classes L'Aventure d'être soi* à travers le monde.

Vous ferez notre connaissance au fil de ces pages, et si vous souhaitez en savoir davantage, il vous suffit d'aller ici : beingyouadventures.com.

Et si vous, en étant vraiment vous, étiez le cadeau et le changement que ce monde requiert ?

COMMENT UTILISER CE LIVRE ?

1) Sachez qu'il n'est pas nécessaire d'être linéaire avec ce livre !

Commencez par la fin si vous le souhaitez.

Ou par le milieu.

Ou feuilletez simplement les pages et voyez lesquelles l'Univers souhaite vous montrer.

Munissez-vous d'un stylo et commencez à cocréer le livre avec nous.

2) Peut-être pouvez-vous simplement le laisser traîner à portée de main pendant quelques jours ?

- Le laisser reposer, prêt à être ouvert sur votre table de chevet ?

- Ou le mettre dans les toilettes, si c'est l'endroit où vous pouvez trouver du temps pour vous ?

- Ou peut-être dans la cuisine, afin que d'autres personnes puissent le regarder pendant que vous leur préparez des cookies ?

« ET SI ÊTRE SO

UNE DÉFINITION

QUESTION, UN C

ET UNE POSSIBI

N'ÉTAIT PAS

MAIS UNE

OIX, UN ESPACE

TÉ ? »

—DAIN HEER

ÊTRE SOI
EN DONNANT
LE JOUR

DOUBLE MAGIE

Lauren Marie, Australie

J'ai perdu les eaux vers une heure du matin, sept semaines avant le terme. Nous étions en train d'emménager dans une nouvelle maison ce jour-là, ou du moins, c'est ce que nous avions prévu. J'ai essayé de faire comme si de rien n'était, mais à 4 h du matin, j'ai commencé à avoir des contractions et nous nous sommes précipités à l'hôpital. Les jumeaux avaient décidé d'arriver ce jour-là et de ne pas s'arrêter avant d'avoir vu le monde !

Il y avait 18 personnes, en comptant les médecins et les infirmières, plus mon mari, tous rassemblés dans la salle, juste après 19 h, tandis que je mettais au monde ces bébés. Neuf pour chacune de ces minuscules créatures d'à peine deux kilos.

Ma fille, Ayla, née la première, avait du mal à respirer, et on la mit aussitôt sur une machine. Elle couvrait tout son petit visage. Mon fils, Preston, né le deuxième, était un peu plus lourd et plus robuste.

J'ai supplié de pouvoir tenir Ayla dans mes bras, et on finit par y consentir, mais seulement pendant deux ou trois minutes, me dit-on, parce qu'elle aurait besoin de retourner sur le support respiratoire. J'ai tenu son petit corps nu contre ma poitrine, et je lui ai demandé de prendre tout ce dont elle pouvait avoir besoin de mon corps et je lui ai dit combien je l'aimais et que tout irait bien.

Presque immédiatement, sa respiration s'est régulée d'elle-même et sa fréquence cardiaque s'est stabilisée. Les médecins étaient tellement contents de voir ce changement qu'ils m'ont laissée la tenir pendant plus de deux heures, poitrine contre poitrine, dans mon fauteuil roulant, où nous nous sommes endormies. Elle n'a plus jamais eu besoin de la machine pour ses poumons après cela.

J'ai passé trois semaines dans cette chambre, sur une chaise à côté de leur couveuse, des larmes ruisselant sur mon visage. Je les ai vus devenir plus forts et en meilleure santé de jour en jour. Les larmes n'étaient ni de la tristesse, ni de la peur ou de l'inquiétude. C'était des larmes de gratitude, d'admiration et d'émerveillement. Je refusais de quitter leur chevet, devenant légèrement délirante par manque de sommeil et d'alimentation.

On dit qu'il n'y a rien de tel que l'amour que l'on a pour son propre enfant. Mais je pense que ce que j'ai vécu était en fait autre chose.

Nous avons enfin pu quitter cet hôpital, presque en courant, avec nos bébés. J'ai raconté à une amie proche comment j'avais passé ces trois dernières semaines à pleurer, émerveillée de voir le cadeau de ces précieux petits êtres. Elle m'a répondu, avec brio : « Bienvenue à être toi. »

Je pense que c'est comme ça pour beaucoup d'entre nous, dans ces situations d'urgence, quand nous sommes appelés à être la totalité de ce que nous sommes. C'était un espace d'une telle vulnérabilité et d'une telle présence que je ne pouvais pas ne pas être moi. Je devais, au nom de ces deux vies, entrer dans un espace où je demandais — non — **j'exigeais** de faire tout ce qui était en mon pouvoir pour m'assurer qu'ils survivent. Le cœur ouvert, j'étais prête à demander et à recevoir une contribution de chaque molécule de l'Univers et de toute main tendue.

Je me demande à quoi ressemblerait le monde si nous pouvions vivre de cette façon tout le temps ?

COMMENT SAVEZ-VOUS
QUAND VOUS ÊTES VOUS ?

Lorsque je suis vraiment moi, je suis l'espace d'être, en totalité, qui est littéralement relié à tout, inclut tout le monde, tout en étant aussi entièrement moi.

C'est un espace immense où mon corps est totalement léger, sans limites ni stimulations. Une vibrance d'être et du corps où rien n'est attaché, serré, diminué ou limité.

—Tanja Barth, Allemagne

« Aujourd'hui, vous

vrai que vrai. Il

vie qui soit plus

TES VOUS, C'EST PLUS

Y A PERSONNE EN

VOUS QUE VOUS. »

—Dr. Seuss

LA PREMIÈRE FOIS QUE J'AI SU QUE J'ÉTAIS VRAIMENT MOI...

La première fois que j'ai découvert que j'étais vraiment moi, c'est quand j'ai entendu de la musique dans la rue et que je me suis mise à danser avec tout mon corps, sans penser à ce que les gens diraient. C'était courageux pour moi, et ce fut un moment où j'étais vraiment moi-même et personne d'autre.

Danser au milieu de la rue en Turquie, dans un pays où tout le monde se soucie beaucoup des pensées et des opinions des autres, c'est ce moment qui a été le début du changement.

Désormais, je fais tout ce que j'aime et qui m'amuse !

—*Berna Sirin, Turquie*

« Vivre est

tout expansi

L'ACTION DE

DANS SA VIE. »

— Gary Dong-18

RENONCER AU CONTRÔLE

Doris Schachenhofer, Autriche

Lorsque j'étais enceinte de mon premier enfant, je prévoyais d'accoucher à domicile. Rien d'autre n'était acceptable pour moi à l'époque. Mon point de vue était que la naissance est quelque chose de naturel, et qu'il n'y a donc pas d'autre option que d'accoucher à la maison et d'avoir une sage-femme.

La grossesse fut facile et sans tension. Au 7e mois, le bébé s'est présenté par le siège. Les médecins m'ont tout de suite dit que je ne pourrais pas accoucher à domicile et que j'aurais besoin d'une césarienne.

Au début, je me sentais impuissante et désespérée à l'idée d'accoucher deux semaines avant le terme et par césarienne. J'ai appelé ma sage-femme et j'ai pleuré, lui demandant quoi d'autre était possible, parce que cela ne pouvait pas se produire dans ma réalité.

Mon principal objectif était que le bébé ne naisse pas avant d'être prêt, et pour être honnête, que mon corps ne soit pas abîmé. Aucune cicatrice, aucune coupure. Ma sage-femme trouva un hôpital où les médecins accueillaient les accouchements par le siège. J'ai obtenu l'autorisation d'y donner le jour, et mon fils est né naturellement en position de siège.

J'ai toujours été certaine que tout irait bien pour mon bébé et pour moi-même. Ma sage-femme m'a dit après la naissance que, normalement, les femmes n'évitent pas le scalpel lors d'un accouchement par le siège, mais ce médecin ne l'a pas fait parce qu'il a vraiment perçu et reconnu les capacités de mon corps. L'accouchement n'a duré que deux heures.

Cette situation m'a montré que je ne peux pas tout contrôler de la manière dont je pense que cela devrait être, mais que je peux être dans la question de quoi d'autre est possible. Abandonner le contrôle et ne pas s'accrocher à l'accouchement à domicile a ouvert de nouvelles possibilités qui en ont créé tellement plus !

VOUS RETROUVER,
QUAND VOUS VOUS PERDEZ…

Ma façon préférée de recommencer à être moi lorsque je me perds, c'est de m'autoriser à passer un mauvais moment et à en jouir. Quand j'ai fini, je choisis de nouveau, et pour davantage d'aisance, j'aime mettre de la bonne musique ou sortir dans la nature, poser mes pieds dans l'herbe, m'appuyer contre un arbre, nager dans l'océan et permettre à chaque molécule autour de moi de contribuer à mon corps et de le nourrir.

—*Susanna Mittermaier, Autriche*

FAIRE CONFIANCE À MON CORPS, ME FAIRE CONFIANCE

Heather Nichols, États-Unis

J'avais de grands et merveilleux projets ! J'allais donner le jour à mon adorable petit garçon à la maison. Dans une grande baignoire que ma merveilleuse sage-femme fournirait. J'avais soigneusement choisi des amis qui seraient présents, et nous avions tout parfaitement planifié !

À la date du terme, au milieu de la nuit, j'ai perdu les eaux. Le moment était venu ! Ce petit garçon arrivait. J'ai appelé ma sage-femme, prévenu mon équipe de naissance, et tout était prêt !

Sauf que… je n'avais pas de contractions. Et quelques heures plus tard, toujours pas de contractions. Un jour plus tard, toujours pas de contractions.

Perdre les eaux et que le travail ne commence pas, c'est courir le risque d'une infection pour le bébé. Le monde médical prend cela très au sérieux, et souhaite que l'accouchement se fasse le plus tôt possible lorsque cela se produit.

Heureusement pour moi, ma sage-femme était géniale, détendue, et avait plus de 1000 accouchements de par le monde à son actif, dans de nombreux pays émergents, et souvent dans des conditions « inférieures aux normes ».

Elle a continué à vérifier les battements de cœur du bébé. Tout allait bien. Et j'ai continué à vérifier en moi, avec mon corps, mon bébé, et ce que je savais. Je savais que c'était OK. Je savais qu'*il* était OK. Je savais que nous étions OK. Nous avons donc attendu et nous avons fait tout ce que nous pouvions pour que le travail commence.

Trois jours plus tard, le travail n'avait toujours pas commencé. J'ai décidé qu'il était temps d'aller à l'hôpital et de provoquer le travail. Nous avons menti. Nous leur avons dit que j'avais perdu les eaux douze heures plus tôt, si bien qu'ils n'ont bourré ni le bébé ni moi d'antibiotiques. Je savais que nous étions quand même toujours OK. En fait, nous étions GÉNIAUX!! Et je me faisais simplement confiance et je savais ce que je savais… au-delà de la peur intense du monde médical.

Un tout petit morceau de Pitocine plus tard, j'étais en plein travail. J'ai insisté pour accoucher dans la baignoire. Il se trouve que j'avais une infirmière qui connaissait bien ma sage-femme, lui faisait confiance, et la laissait prendre les commandes, même si les sages-femmes ne sont pas autorisées à s'occuper des accouchements dans les hôpitaux de ma ville. Et ma sage-femme m'a laissée prendre les commandes. Et j'ai laissé mon corps prendre les commandes, et me montrer ce qu'il savait sur le fait de mettre au monde.

De toute évidence, mon corps en connaissait un rayon ! Il n'a reçu absolument aucun médicament pendant le travail, et a surfé sur les vagues des contractions avec une relative aisance. C'était la toute première fois dans ma vie que j'avais été aussi complètement, totalement, indéfectiblement présente pendant aussi longtemps.

Lors d'un rare moment où j'étais en train d'anticiper la prochaine contraction dans la crainte, ma sage-femme m'a donné des paroles de sagesse brillantes qui s'appliquent à toute la vie : « N'ayez pas de contraction quand vous n'avez pas de contraction ! »

J'ai réalisé à ce moment que, non seulement mon corps savait exactement quoi faire lorsque les contractions survenaient, mais je pouvais également me détendre totalement dans l'intervalle. Je pouvais permettre à ma douce équipe de naissance de verser de l'eau chaude sur tout mon corps. Je pouvais me détendre, je pouvais être heureuse, je pouvais être à l'aise, et je pouvais recevoir.

Je pouvais demander ce dont je savais que j'avais besoin, et permettre à chaque personne présente dans la pièce de m'apporter sa contribution, à moi et à mon bébé.

Lorsque le moment est venu d'accoucher, je me suis mise sur la table et en quelques poussées puissantes, Avery est venu au monde. Mon corps savait exactement quoi faire. Je n'en ai jamais douté… et je lui faisais confiance, complètement.

Une fois que l'accouchement a été provoqué, il n'a fallu que quatre petites heures pour qu'Avery vienne au monde. L'ensemble du processus a été un tel cadeau de confiance, de présence, de puissance, de même que le fait que je sois prête à prendre les commandes… de l'accouchement, de la salle, des personnes, de l'expérience, en me fondant sur ce qui était vrai pour moi, ce qui fonctionnait pour moi, ce qui me semblait juste pour moi, et ce que je savais qui fonctionnait également pour Avery.

L'expérience de donner le jour à ce petit garçon extraordinaire m'a transformée. Je savais que je pouvais me faire confiance comme jamais auparavant. Et j'ai acquis l'expérience de la brillance et des capacités de mon corps comme jamais auparavant. Ce fut également le début d'une belle communion entre moi et cet extraordinaire petit garçon, au-delà de la relation «maman et fils», une véritable façon de s'honorer l'un l'autre, et l'un des plus grands cadeaux de ma vie à ce jour.

ÊTRE SOI, ÊTRE LA DIFFÉRENCE

« POURQUOI FAIT
D'EFFORTS POU
ALORS QUE VOU
VOUS DÉM

S-VOUS AUTANT

VOUS INTÉGRER

ÊTES NÉ POUR

RQUER *?* »   —IAN WALLACE

RIEN À PROUVER

Stephanie Richardson, États-Unis

Ce qui est subtil dans le fait d'être soi-même, c'est que le ressenti n'est comparable à rien. Être soi ne demande aucun effort.

« *Pensez-vous que vous avez quelque chose à prouver ?* » Ai-je entendu dire quelqu'un derrière moi.

J'étais stagiaire dans une entreprise médiatique mondiale au service photo, et je transportais plus d'une cinquantaine de kilos de sacs de sable…

C'était mon patron qui avait parlé derrière moi. « *Oui !* » Ai-je répondu. C'était le cas.

Le secteur de la photo est largement dominé par les hommes, et je voulais prouver que je pouvais faire ce que les gars pouvaient faire sur le plateau. Je ne voulais pas de traitement de faveur. Je ne voulais pas qu'on me toise, ou qu'on ne m'engage pas en pensant que je ne pouvais pas gérer ce travail.

Toujours prouver qui j'étais n'avait pas été sans conséquences. J'avais commencé à oublier qu'il existait des façons plus intelligentes de travailler, des façons de faire mon travail qui demanderaient bien moins d'efforts et seraient cent fois plus efficaces.

Il y avait un chariot à moins de trois mètres. J'aurais pu transporter 100 kilos ou plus à la fois avec un chariot. J'aurais pu choisir de faire moins d'allers-retours et d'avoir une aisance totale. Au lieu de cela, j'étais en train de prouver que j'étais « forte » et « robuste ».

En m'efforçant d'être forte et robuste, ce que j'avais décidé qui devait avoir de la valeur, je négligeais parfois les autres choses que j'avais à offrir ; comme être futée, efficace, innovante, ou encore, *roulement de tambour…* être cool et drôle !

Ce que j'ignorais, c'est que l'on ne m'appréciait pas du tout parce que j'étais forte et robuste. Personne n'attendait de moi que je sois forte ou robuste, sauf moi. Être robuste était une tâche que je m'étais assignée toute seule. À mon insu, on m'engageait pour quelque chose de bien différent.

Quelques mois plus tard, une scène très similaire se produisit sur un autre plateau… Le photographe me prit à part : « tu sais que je ne t'ai pas engagée pour la même raison que celle pour laquelle j'engage les gars ? »

J'ai hésité. J'ai toujours voulu être l'égale des mecs. Qu'est-ce que cet homme était en train de me dire ? Si on ne m'appréciait pas pour les mêmes raisons qu'eux, à quoi étais-je bonne ? Je ne voulais pas être différente. Je voulais simplement être excellente quoi que je fasse.

« Tu n'as pas à prouver que tu peux faire le boulot que font les mecs. Je t'ai engagée parce que le plateau est vraiment différent quand tu es là. »

Ce que les patrons essayaient de me dire, je ne voulais pas l'entendre le moins du monde. Ce qu'ils étaient en train de me dire, c'est que j'étais précieuse simplement en étant là, pas parce que je pouvais soulever plus de cinquante kilos de sacs de sable sans transpirer, mais parce que j'étais moi. Le fait que je sois là changeait la façon dont fonctionnaient les choses sur le plateau.

Il y eut encore de nombreuses fois où j'essayai encore d'être ce que je pensais devoir être. Je pensais que le travail était, par définition, l'endroit où l'on s'efforce d'être ce que les autres veulent de vous. Je ne comprenais pas que l'on m'engage pour faire ce que je fais le mieux, avec le plus d'aisance, ou encore simplement pour que je sois à leurs côtés.

Lorsque je suis moi, je suis inspirée, créative, et un peu excentrique, cool et drôle. Avez-vous déjà vu un petit enfant recevoir un cadeau qui lui plaît et en être tout surexcité ? Être moi, cela ressemble à ça.

Lorsque j'essaie de m'adapter à ce que je pense que les autres veulent que je sois, cela nécessite que je regarde à travers le prisme de ce que je pense que tout le monde veut que je sois. Cela implique beaucoup de pression et d'efforts. Avez-vous déjà vu quelqu'un soulever des poids vraiment lourds ? Avez-vous vu leur regard à ce moment-là ? C'est le regard du travail acharné et de l'effort. C'est à cela que ressemble mon visage lorsque je ne suis pas moi. A-t-il l'air heureux, amusé, et totalement à l'aise ?

Je ne le pense pas.

Il y a une aisance singulière à oser être soi. Vous avez beaucoup à contribuer lorsque vous êtes la combinaison de dons et de talents que vous êtes, quelle qu'elle soit, et la contribution unique que vous avez à offrir.

Lorsque vous utilisez vos dons et vos talents, vous pouvez avoir l'impression de repartir avec quelque chose, parce que le travail devient vraiment un plaisir. Ou bien, il se peut que les gens vous remercient pour ce que vous avez apporté à une réunion ou à un projet, et que vous vous surpreniez à vouloir dire quelque chose comme : « Merci mais je n'ai pas fait grand-chose… j'ai juste… » La plupart d'entre nous n'ont aucune pratique de l'aisance dans la vie que procure le fait d'être soi et des cadeaux que nous sommes sans effort.

Ce qui se passe quand vous êtes vous, c'est que, lorsque vous l'êtes le plus, vous n'y pensez même pas. C'est comme vos vêtements. Quand vos vêtements ne sont pas adaptés, ils attirent constamment votre attention. Vous tirez dessus. Vous cherchez à les changer. Vous voulez en sortir. Lorsque vos vêtements sont confortables, et que vous vous sentez bien dedans, vous ne passez pas votre temps à y penser toute la journée ; vous profitez simplement de votre journée.

Quand vous êtes vous, c'est comme si vous portiez des vêtements confortables mais sexy ! Cela ne demande aucun effort, et vous avez l'air vraiment bien en le faisant !

COMMENT SAVEZ-VOUS QUAND VOUS ÊTES VOUS ?

Je sais que je suis moi quand je m'amuse.

Il semble y avoir un flux naturel dans tout ce que je fais dans ma journée, depuis la création de nouvelles idées, en passant par mon travail et mes interactions avec les autres, jusqu'à la manière dont je gère tout ce qui se présente.

Il y a également une sensation différente dans mon corps lorsque je suis vraiment moi; peu importe le temps de sommeil que j'ai eu. Je suis pleine d'énergie et prête à créer pour la journée. C'est un espace où tout est possible, avec un niveau de confiance en moi où personne ne peut m'arrêter; pas même moi.

—*Laleh Hancock, États-Unis*

PRENEZ UN STYLO

LA TOUTE PREMIÈRE FOIS OÙ VOUS AVEZ SU QUE VOUS ÉTIEZ VOUS, C'ÉTAIT QUAND ?

C'EST D'ÊTRE VRAIMENT SOI

POURQUOI NE SAISISSENT-ILS PAS ?

Samantha Lewis, Afrique du Sud

J'ai toujours pensé que je devais m'intégrer. Au lycée, je n'ai jamais fait partie des enfants les plus appréciés. Je rêvassais beaucoup et je ratais l'essentiel de ce qui se passait en classe, sauf pendant les cours d'art, d'histoire et de géographie.

J'étais fascinée par l'évolution des choses, la manière dont les gens fabriquaient des objets, la façon dont les pays s'étaient formés et dont les villes étaient nées.

Je n'ai jamais pu comprendre pourquoi mes parents étaient aussi obsédés par les notes d'examens, alors que j'étais simplement heureuse d'obtenir les informations. Après tout, tout le monde ne voyait-il pas les dessins que je faisais, ou ne percevait-il pas ces moments d'histoire comme moi ? Lorsque je considère rétrospectivement ma vie à l'école et au fil du temps, je réalise que je pensais que tout le monde voyait, ressentait et percevait les choses comme moi.

Je m'embrouillais quand j'expliquais quelque chose à un ami ou à mes parents sur ce que je dessinais ou la manière dont je savais ce que mon chien demandait. Ils ne semblaient pas le comprendre. Ils ne comprenaient pas pourquoi, quand j'étais petite, je n'avais pas peur des gros chiens au bout de notre rue ; comment je pouvais les caresser à travers la barrière alors que tout le monde s'en écartait autant que possible. Je me demandais s'ils savaient ce qu'ils rataient, à quel point il était amusant de caresser les chiens, et combien les chiens étaient reconnaissants de l'affection qu'on leur portait.

J'ai toujours eu la sensation d'avancer tout simplement ; continue, ne t'arrête pas ! J'avais beaucoup d'énergie, et j'étais toujours debout tôt le matin et la dernière à aller au lit. Je pouvais rester assise pendant des heures toute seule, à lire, à dessiner, ou simplement à observer les arbres dans le vent. Tout le monde semblait toujours avoir besoin de quelque chose, vouloir aller quelque part. Ils me semblaient tellement éloignés.

Lorsque j'ai terminé l'école, j'ai ouvert le journal local et j'ai postulé au premier poste qui m'a sauté aux yeux et semblé amusant. Mon père m'a dit que je ne l'obtiendrais pas parce que je n'y connaissais rien. J'ai pensé que c'était étrange qu'il ne puisse pas voir les possibilités que j'avais ; que je pouvais apprendre quelque chose de nouveau et que c'était exaltant de ne pas savoir. Je ne réalisais pas, alors, que l'inconnu, qui était palpitant pour moi, était effrayant pour la plupart des gens.

Ma vie continue, toujours avec des moments de : « Est-ce que tout le monde voit ça ? Ou sent ceci ou perçoit cela ? » Je sais maintenant que lorsque je considère ces questions, c'est un moment où je peux dire : « *ÇA, c'est le cadeau que, je suis en étant moi — ce que je vois, ressens, perçois et sais est unique et authentique pour moi.* »

J'ai trouvé le cadeau d'être moi, sans chercher en quoi je suis semblable, ni en cachant mes différences derrière un masque.

J'ai trouvé le cadeau d'être moi dans mes différences, dans la façon unique dont je crée des relations, la façon dont j'explore et vois le monde, et dont j'observe la vie et tout ce qu'elle contient.

Être le cadeau d'être soi, c'est être cela, ni plus, ni moins : juste exactement cela. SOYEZ-LE, CROYEZ-LE.

LA PREMIÈRE FOIS QUE J'AI SU QUE J'ÉTAIS VRAIMENT MOI...

Lorsque j'ai réalisé que, de fait, je pouvais être heureuse, j'ai simplement ri et je n'ai pas cessé de rire. J'avais 42 ans, et c'était la première fois que je prenais conscience que, de fait, je pouvais être heureuse !

—*Karlina van der Weij, Canada*

« SEULS CEU[X]
ASSEZ FOUS
QU'ILS PEUVENT C[E]
PARVIENN[ENT]

X QUI SONT

OUR PENSER

ANGER LE MONDE Y

CNT. »

—STEVE JOBS

TROP PARLER

Paulina Aguayo, Mexique

J'ai toujours aimé parler aux gens.

Je me revois, dans mon adolescence, parler avec des sans-abris dans la rue. Ils venaient me voir et me racontaient leurs histoires, et nous échangions pendant des heures. Mes amis venaient aussi me voir pour demander conseil ou avoir des discussions profondes que j'avais l'habitude d'appeler des « introspections ».

Il y a quelques années, je me suis disputée avec une amie qui m'a affrontée avec son point de vue selon lequel je parlais trop et je continuais encore et encore, et elle et ses amies en avaient toutes marre.

À ce moment-là, j'ai eu une sensation de paix en réalisant : « *Ouais ! Ça, c'est MOI !* » J'adore parler et partager mes prises de conscience et mes expériences !

Je reconnais mon choix d'être moi et leur choix d'être avec moi ou non. Par conséquent, au lieu de changer pour elles, *j'ai embrassé la totalité de qui je suis.*

COMMENT SAVEZ-VOUS QUAND VOUS ÊTES VOUS ?

Je sais que je suis moi quand je suis détendue et joyeuse, et quand je vois la beauté et la magie en chaque personne et dans chaque chose que je rencontre.

—*Kass Thomas, Italie*

COLORIER EN DEHORS DES LIGNES

Bret Rockmore, États-Unis

Vous avez la capacité de créer le changement où que vous alliez.

Vous l'avez toujours eue ; vous l'avez toujours été, depuis votre arrivée dans ce charmant petit corps qui est le vôtre.

Pourtant, dans l'ensemble, personne n'a été capable de le voir.

Où que vous alliez dans votre enfance, les barrières des gens fondaient, et leur monde devenait différent, et pourtant les adultes autour de vous ne le remarquaient même pas.

Puis vous avez commencé à apprendre à parler, et vos parents et la société dans son ensemble ont commencé à vous enseigner comment vous intégrer ici.

Ils ont commencé à vous enseigner tout ce qu'ils avaient appris sur la manière de survivre ici dans un monde cruel ; ils vous ont donné les outils qui leur avaient été donnés.

Et pendant tout ce temps, vous essayiez de leur montrer qu'il n'y avait pas lieu qu'il en soit ainsi.

Vous avez tenté de partager avec eux tout ce que vous saviez qui était au-delà de la réalité qu'ils avaient choisi de vivre.

Et encore une fois, pour la plupart, ils ne vous ont pas crus. Ils vous ont dit : *« Tu ne peux pas faire ça. Fais attention. Ce n'est pas comme ça qu'on fait ici. »*

Finalement, vous avez commencé à rejeter et à vous couper de tout ce que vous saviez possible que, eux, malheureusement, ne pouvaient recevoir.

Voilà la bonne nouvelle : CE N'EST PAS PERDU !

Au lieu de cela, vous vous êtes contenté du normal, du moyen et du réel.

Vous avez commencé à colorier à l'intérieur des lignes… *pour ne pas tout chambouler, pour ne pas être trop difficile à gérer pour les autres, pour vous rejeter afin de mettre les autres à l'aise, pour faire semblant d'être ce que vous n'êtes pas, afin de faire plaisir à quelqu'un d'autre, et pour tolérer ce qui ne fonctionne pas réellement pour vous.*

Et si vous pouviez désapprendre tout ce qui vous maintient dans le coloriage à l'intérieur des lignes ?

Et si vous pouviez réinviter toutes les parties et tous les fragments de vous que vous avez choisi d'invalider ?

Ils ont toujours été là, en attente. C'est vous ; c'est qui vous êtes vraiment.

Êtes-vous prêt à cesser de faire semblant de vous intégrer ?

Êtes-vous prêt à être totalement vous, sans complexes ni concessions ?

Êtes-vous prêt à être trop et totalement inapproprié ?

Êtes-vous prêt à commencer à créer une vie qui fonctionne pour vous, que cela fasse plaisir à votre famille ou non ?

Êtes-vous prêt à commencer à colorier en dehors des lignes ?

PRENEZ UN STYLO

COMMENT VOUS RETROUVEZ-VOUS QUAND VOUS VOUS PERDEZ ? TROIS RAPPELS !

1. _____

   _____

2. _____

   _____

3. _____

   _____

« PERSONN

DE VALEUR

DONNE

N'A ASSEZ

POUR VOUS

TORT. »

—Dr. Dain Heer

VOUS RETROUVER, QUAND VOUS VOUS PERDEZ...

Mon outil rapide préféré pour revenir à moi lorsque je me suis égarée est de baisser toutes mes barrières, de m'expanser autant que je le peux, de prendre une profonde inspiration (ou quatre) et de demander : « *Si j'étais vraiment moi tout de suite, qu'est-ce que ce serait ?* » Et ensuite, de cet espace, de poursuivre ma journée. Oh, et à répéter aussi souvent que nécessaire !

—*Gabriella Vena, États-Unis*

CHOISIR DE RÉUSSIR SA VIE

Simone Arantes, Brésil

J'ai grandi dans le tort total, persuadée que la moindre partie de moi était dans le tort.

Je ne correspondais pas aux points de vue de la plupart des gens sur la manière dont les choses devaient être, ou à ce que et comment je devais être.

Alors que j'étais sur le point de choisir ce que j'allais étudier à l'université, j'ai parlé à mon père en lui disant: *« J'aimerais être juge. »* Il me répondit que je ne pouvais pas être juge, étant donné qu'il n'y avait pas de femmes dans la magistrature. Mais, ajouta-t-il, tu pourrais être avocate.

Comme je ne souhaitais pas être avocate, j'ai décidé d'étudier la chimie, et j'ai continué jusqu'à l'obtention d'un doctorat et d'un diplôme postdoctoral en chimie. Toutefois, malgré cet accomplissement et la facilité avec laquelle je l'ai réalisé, je n'ai jamais rien reconnu de tout cela.

J'ai simplement continué à vivre ma vie, sans jamais être vraiment heureuse, sans jamais avoir vraiment le sentiment d'avoir réussi quoi que ce soit. Ce n'est que plus tard que j'ai réalisé que, en parlant avec mon père ce jour-là, *j'avais choisi de ne pas réussir.*

Cela a changé ma vie.

Cela m'a montré que jamais rien ne m'arrive simplement par hasard. J'ai choisi (bien que ce ne soit pas cognitivement) chaque chose dans ma vie. Après avoir réalisé cela, j'ai maintenant commencé à tout choisir dans ma vie. J'ai choisi d'être aussi bizarre et différente que je le suis vraiment, que les gens me jugent ou non.

Ma vie est un cadeau pour moi maintenant, et je suis celle qui l'a choisi.

COMMENT SAVEZ-VOUS QUAND VOUS ÊTES VOUS ?

Je sais que je suis moi quand je ris sans aucun prétexte, et lorsque tout est aisé, drôle et fabuleux !

—*Claudia Cano, Mexique*

ÊTRE VOUS,
AVEC VOTRE
FAMILLE

S'AIDER SOI-MÊME

Shivam Saxena, Inde

Très tôt dans ma vie, je me suis rendu compte que je n'étais pas comme la famille méchante, maltraitante, violente, manipulatrice et dominatrice dans laquelle j'étais née. Je n'avais besoin d'aucune preuve ; je savais simplement que je n'étais pas comme ça. J'avais probablement six ans, et je ne connaissais pas tout mon alphabet, ni les nombres supérieurs à 50, et pourtant je savais que j'étais différente. Je me demandais qui j'étais vraiment.

Mes parents étaient intransigeants quant au respect des aînés, à tel point que notre famille était semblable à un système de commandement hiérarchique. Mes frères aînés avaient le droit de me malmener, et je devais quand même être respectueuse.

Étant la plus jeune, et aussi une fille, je n'avais pas droit à la parole, aucun droit de choisir pour moi-même, et absolument aucune valeur. Face à d'horribles abus, et sans le soutien de personne, j'ai appris à m'aider moi-même. Chaque fois, je me répétais : *« Si je ne suis pas comme eux, alors qui suis-je vraiment ? »* Couche par couche, j'ai commencé à découvrir un nouvel aspect de moi-même, et un niveau de force totalement nouveau est apparu.

Ce qui est fou, c'est que chaque fois que je puisais ma force dans plus de moi, les autres faisaient machine arrière ; plus de changement est apparu, ainsi que davantage d'espace pour créer ma vie. Le choix était clair pour moi : soit regarder quoi d'autre m'était accessible et me présenter en étant moi — de plus en plus — soit descendre dans le caniveau avec les autres.

À l'âge de onze ans, "je n'en pouvais plus des abus physiques et sexuels auxquels j'étais confrontée à la maison. J'ai fait des recherches en ligne et j'ai trouvé un internat dans le sud de l'Inde qui me plaisait vraiment, et qui avait une directrice dont je pensais qu'elle m'entendrait.

Le lendemain, je lui ai écrit une lettre dans laquelle j'étais totalement vulnérable. Je lui ai écrit : « *Je ne suis pas très bonne dans les études, et voici mes notes…* » Ensuite, je lui ai expliqué la vraie raison pour laquelle je voulais quitter mon foyer.

C'était l'une des 20 meilleures écoles en Inde, fréquentée par des enfants du monde entier. Je n'avais aucune idée des frais ni de la procédure d'admission. Je lui ai simplement écrit cette lettre. Environ deux mois plus tard, j'ai reçu une réponse de la directrice me demandant de venir avec mes parents nous présenter pour un entretien.

Et voilà, la première étape était franchie. Or, c'est stupéfiant de voir à quel point l'Univers conspire en votre faveur lorsque vous vous engagez envers vous-même !

Mes parents se sont d'abord montrés très réticents à m'envoyer loin, mais mon père avait un poste très élevé auprès de l'administration indienne et se trouvait dans une zone de criminalité très sensible. À peu près à cette époque, il avait reçu un rapport de police faisant état de terroristes qui planifiaient de m'enlever.

Ils n'avaient pratiquement pas d'autre choix que de m'envoyer dans un lieu plus sûr, et quel meilleur endroit où m'envoyer que l'internat que j'avais choisi ? *Merci, l'Univers !*

Pour moi, cette création à onze ans est un énorme témoignage de ce que vous pouvez créer quand vous vous engagez envers vous-même. Vous ne vous contentez pas de survivre ou de vous en sortir. Vous vous épanouissez. Et ce n'était que le début…

Lorsque vous choisissez d'*être vraiment vous*, vous n'avez pas besoin d'acheter les manigances, les mensonges, les dogmes, les peurs et les maladies des gens autour de vous. Vous mettez un terme à la limitation que peut être votre famille.

Lorsque vous choisissez d'être vraiment vous, vous pouvez effectivement créer une vie qui est vraie pour vous, au-delà des personnes ou de la famille dans laquelle vous êtes né.

COMMENT SAVEZ-VOUS QUAND VOUS ÊTES VOUS ?

Je sais que je suis moi quand j'ai une sensation d'espace de non-jugement autour de moi. Lorsque je ne suis pas en réaction, ni l'effet de quoi que ce soit. Lorsque qu'il y a de l'aisance et que je suis joyeuse sans raison. Lorsque je suis reconnaissante pour tout, que c'est tellement amusant d'être en vie. Dans ces moments-là, je sais que tout peut être changé et que je vis à partir de ce qui est possible, plutôt qu'à partir des points de vue limités des autres.

—*Margit Krathwohl, Allemagne*

« Ce ne sont pas
nous montrent
Ce sont

OS APTITUDES QUI

UI NOUS SOMMES.

OS CHOIX.

—DUMBLEDORE *("Harry Potter et la Chambre des secrets")*

RECEVOIR SA FAMILLE

Susanna Mittermaier, Autriche

Ayant grandi en tant qu'enfant unique avec des parents gentils qui ont fait de moi le seul centre de leur univers, j'ai appris à être très consciente des besoins des gens.

À un moment donné, vers l'adolescence, ma réponse au fait d'être tout l'univers de deux personnes a été de me protéger. Je pensais que je disparaîtrais, et que mon être-même cesserait d'exister si je ne dressais pas des murs et des barrières pour maintenir une perception de moi.

J'avais même perfectionné toute cette manœuvre en créant une distance confortable par rapport au monde entier. Tant que j'avais cette barrière levée, je pouvais m'assurer de ne pas me perdre. Ou du moins, c'est ce que je croyais.

Si vous vous reconnaissez d'une manière ou d'une autre en lisant ces lignes, il est peut-être temps de vous poser les mêmes questions que celles que j'ai fini par me poser. *"Est-ce que ça fonctionne vraiment ? «Est-ce que cela me donne véritablement la vie que j'aimerais avoir ? Est-ce que cela me procure vraiment de la joie ? »*

Vous connaissez la réponse, n'est-ce pas ? Cela a fait voler en éclats tout mon univers et les barrières que je pensais être mes meilleures amies, mes frères et sœurs. À ce moment, j'ai su qu'il était temps de les laisser partir, si je voulais avoir la liberté et l'espace d'être moi.

Une bonne amie à moi m'a dit : « *Et si tu recevais simplement ce que tes parents t'offrent ? Et si tu laissais cela entrer ? Peu importe ce que c'est… Si tu reçois tout en cessant de le juger, tu ne te perdras jamais !* » Personne ne peut t'enlever à toi-même, si tu ne le permets pas.

J'ai réalisé à quel point nous jugeons ce qui nous est adressé pour le mettre ensuite dans des boîtes avec les étiquettes « *bonne énergie, mauvaise énergie, j'aime, je n'aime pas.* »

Je me suis souvenue de l'époque où j'étais enfant, lorsque j'étais reconnaissante pour chaque mot que mes parents me disaient. Je sais que cela paraît un peu bizarre, parce qu'il est bizarre dans notre monde d'avoir un tel niveau de gratitude les uns envers les autres. Quand je suis arrivée à l'adolescence, cette gratitude avait disparu, au profit d'une séparation d'eux pour pouvoir me trouver.

Donc… j'ai demandé à être de nouveau cela avec mes parents et je les ai laissés entrer. Dès lors, mon univers a complètement changé. Non seulement nous avons beaucoup de plaisir les uns avec les autres, mais ce choix m'a également permis de recevoir l'intégralité de l'Univers d'une manière différente.

Je sais maintenant que je *suis* l'Univers, et que nous pouvons tous être les uns avec les autres d'une manière totalement différente dès lors que nous choisissons de baisser nos murs et nos barrières.

Oui, nous rencontrons parfois des énergies et des personnes particulières que nous pensons que nous ne devrions pas recevoir, parce que si nous le faisions, elles nous détruiraient. Mais… et si c'était le plus gros mensonge que vous ayez jamais acheté !? Et si les recevoir vous donnait… *vous* ? Je sais que cela a été le cas pour moi, et que c'est toujours le cas chaque jour. Est-ce que ça vaut la peine d'essayer ?

LA PREMIÈRE FOIS QUE J'AI SU QUE J'ÉTAIS VRAIMENT MOI...

Les gens, les choses, les situations qui semblaient auparavant immuables, ont changé comme par magie. L'impossible est devenu possible. Simplement en étant *disposée à être moi*, les autres ont été inspirés de voir que tout ceci était également possible et disponible pour eux, et qu'ils pouvaient le choisir, s'ils le souhaitaient. Ils ont été reconnaissants en se rendant compte que cela ne doit pas nécessairement être difficile et que c'est juste un choix.

—*Marja Zapušek, Slovénie*

DIVORCER AVEC AISANCE

Pam Houghteling, États-Unis

Au fil des ans, j'ai découvert de nombreux outils à propos d'être soi que j'ai également présentés à mon mari. Grâce à eux, nous avons laissé partir bon nombre de nos points de vue sur le mariage : ce que cela signifie d'être mariés et les projections, jugements et attentes qui vont avec.

Vivre ensemble et créer notre vie ensemble a été un choix que nous avons fait chaque jour. De temps à autre, au cours des 20 années de notre relation, nous avons eu des conversations sur « l'état de notre mariage » pour poser des questions sur ce qui fonctionnait ou ne fonctionnait pas en étant mariés, et ce que nous avions envie de changer.

Un soir, après mon retour d'un séminaire, nous avons de nouveau posé des questions, et pour la première fois, cela a semblé plus léger de ne pas être mariés que d'être mariés. Nous avons posé encore plus de questions, et en cinq minutes de conversation, nous avons choisi de ne plus être mariés.

Nous avons ensuite parlé pendant une heure et demie de la façon dont nous allions nous séparer, y compris de ce que nous allions dire aux gens. Nous savions que ce serait facile de créer des problèmes qui n'étaient pas réels, étant donné que les gens chercheraient une raison pour laquelle notre mariage prenait fin : **qu'un mariage puisse se terminer par choix n'est pas vraiment quelque chose que les gens arrivent à accepter facilement. Pas encore.**

Nous avons passé de très bons moments, au cours des deux mois qui ont suivi, à mettre en œuvre notre choix. Nous étions chacun en train d'être et de choisir ce qui allait créer de la grandeur pour notre famille. Il n'y avait pas de jugement, pas de colère, et pas de problèmes. Nous avons continué à être de très bons amis, et nous sommes une contribution l'un pour l'autre et nous nous apprécions mutuellement.

Je sais que ce n'est pas ainsi que cela fonctionne dans 99 % des mariages qui se terminent par un divorce. Je sais également que c'est possible !

COMMENT SAVEZ-VOUS QUAND VOUS ÊTES VOUS ?

Si je suis en train de rire, de danser, de sauter ou de courir, il y a fort à parier que je suis moi.

—*Lauren Marie, Australie*

« Choisir votre
plus grand cad[eau]
puissiez offrir

ÉALITÉ EST LE

AU QUE VOUS

U MONDE. »   —Dr. Dain Heer

VOUS RETROUVER,
QUAND VOUS VOUS PERDEZ...

C'est tellement évident quand je me perds. J'ai l'impression que ma tête va exploser, mon corps manque d'énergie, ma vigilance est engourdie et ma conscience dense. Aïe, quelle lutte !

Dès que je ressens l'un de ces états ou même tous, je demande : « À qui ça appartient ? » Puis je me lève et je place une main sur le centre de mon cœur (thymus) et l'autre sur mon bas-ventre (os pubien), je ferme les yeux et je respire par la bouche. J'expanse mon énergie aux quatre coins de la pièce ou de l'espace où je me trouve. Je demande à la Terre de contribuer à mon être et je m'expanse au-delà de la densité et de la lourdeur de la réalité dans laquelle je me suis enlisée. Puis je m'expanse aussi loin que je puisse l'imaginer, au-delà de l'Univers, de la Terre, de la mer et des séquoias que j'admire régulièrement.

Je dissipe ensuite l'énergie vers la Terre en imaginant qu'elle fertilise la Terre et génère une nouvelle possibilité. Cela me permet de me sentir de nouveau moi et de redevenir franchement l'aimant à possibilités génératives que je suis vraiment ! C'est grâce à cette pratique que je sais que je compte, j'existe et je rugis !!

Dr. Lisa Cooney, États-Unis

COLÈRE, AMOUR ET ÉMOTICÔNES

Hanna Valdevi, Suède

J'étais au milieu d'une réunion de travail quand mon fils de 9 ans m'a appelée en rentrant de l'école pour me demander quelque chose. Comme je n'étais pas d'accord et que je n'ai pas répondu oui à ce qu'il voulait, il s'est mis très en colère, m'a hurlé dans l'oreille et m'a raccroché au nez alors que j'étais encore en train de lui parler.

Ma réaction à cette situation m'a surprise. J'ai été très contrariée, gênée et irritée… et en même temps, j'ai essayé de faire bonne figure devant les personnes de ma réunion. Cela ne s'est pas amélioré quand mon fils a commencé à exprimer sa colère en m'envoyant des textos toutes les dix secondes ; des textos remplis d'émoticônes en colère. J'avais du mal à me concentrer sur la réunion.

Alors que la colère continuait de monter en moi, j'ai tenté de trouver de quelle manière je pourrais reprendre le contrôle de la situation, afin de pouvoir poursuivre la réunion sans perdre totalement ma contenance professionnelle.

De manière très « adulte », j'ai commencé à écrire un texto de colère à mon fils, tandis que, dans le même temps, je me suis de plus en plus contractée et déconnectée de moi-même. Au milieu de mon texto de colère, je n'ai pas pu m'empêcher de rire de moi-même et de mes réactions. Qui étais-je dans cette situation ? Qu'est-ce que j'essayais de prouver, et à qui ? Et quelle énergie était requise pour changer tout ceci avec aisance, tant pour moi que pour mon fils ?

Je me suis rendu compte que j'avais appris très tôt que raccrocher le téléphone au nez de quelqu'un était irrespectueux et une situation censée vous contrarier au plus haut point. Et lorsque j'étais en colère dans mon enfance, l'un de mes parents anéantissait cette colère en dirigeant encore plus de colère vers moi.

Alors, à qui était vraiment ce point de vue ? La contraction dans mon corps était un bon indice que ce n'était sûrement pas le mien. Je me suis demandé : *« Si j'étais vraiment moi dans cette situation, qu'est-ce que je serais ? »*

Une énergie totalement différente est alors devenue très présente dans mon corps, et tout à coup, j'ai retrouvé le sourire. Mon corps s'est détendu. J'ai effacé mon texto de colère qui sermonnait mon fils et je l'ai remplacé par un texto d'émoticônes, reflétant la nouvelle énergie qui s'était manifestée, et je l'ai envoyé à mon fils.

Cette photo est une capture d'écran de notre conversation ce jour-là.

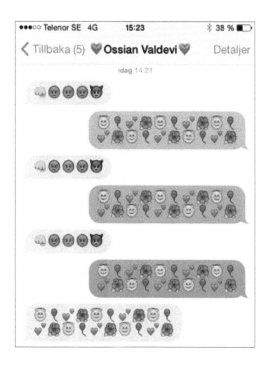

Dès que j'ai changé d'énergie et que je me suis débarrassée de mes points de vue sur la colère et moi en tant que parent, je suis devenue davantage qui je suis vraiment, et il m'a fallu 30 secondes pour changer.

J'étais stupéfaite, tout comme les personnes de ma réunion. "Et si être vous-même était tout ce qui est requis pour changer toute situation ?

ALLEZ-VOUS À UNE FÊTE ?

Susanna Mittermaier, Autriche

Lorsque je travaillais dans le domaine de la santé mentale en tant que psychologue, je rencontrais des patients qui restaient à l'unité psychiatrique pendant des semaines, et parfois même des mois.

Cette unité consistait en une vieille bâtisse avec des sols en linoléum. L'aménagement intérieur était aussi peu attrayant qu'une gare. Cette apparence, pour un bâtiment abritant des personnes qui se trouvaient au plus bas dans leur vie, faisait que ce lieu n'était pas conçu pour favoriser la guérison ou être nourricier.

Comme j'avais un emploi à temps plein et que je devais y passer de nombreuses heures de la semaine, je me suis demandé : « *Qu'est-ce qui est possible ici ? Comment puis-je rendre cela aussi aisé et nourricier pour moi et les personnes avec lesquelles je travaille ?* »

Dans cette unité en particulier, le personnel ne portait pas d'uniformes. Nous pouvions porter nos vêtements personnels. Nous n'avions pas de blouses blanches. Mes collègues portaient généralement des « vêtements de travail » tels que jeans et T-shirts.

Mon point de vue au sujet de l'habillement est de toujours choisir ce qui fait plaisir à mon corps, indépendamment de l'occasion. Je demandais donc chaque jour à mon corps : *« Corps, qu'aimerais-tu porter ? »* La plupart du temps, il s'agissait de jolies robes, de hauts talons et de beaux bijoux.

Je demandais à mon corps : *« Es-tu sûr ? Nous allons travailler. »* « *Oui !* » était la réponse. Au travail, mes collègues me taquinaient en me demandant : *« Est-ce que tu vas à une fête ? »*, ce à quoi je répondais : *« C'est ICI, la fête ! Si ce n'est pas le cas, pourquoi être ici ? »*

Au bout de quelques semaines de travail dans cette unité, une patiente a passé la tête hors de sa chambre et m'a appelée : *« Susanna, venez ! »* Elle m'a fait signe et m'a invitée à entrer dans sa chambre.

Il s'agissait d'une femme qui était dans l'unité psychiatrique depuis des semaines. En fait, elle n'avait pas cessé d'y entrer et d'en sortir depuis son enfance. Les médecins avaient plus ou moins abandonné son cas. Elle existait, mais n'était pas très vivante. Elle avait tenté de se suicider à plusieurs reprises. Une fois, je l'avais trouvée gisant sur son lit, dans un bain de sang. Elle disait si souvent que son corps était sa prison et qu'elle voulait en sortir.

Ce jour-là, quand elle m'a invitée dans sa chambre, elle avait une lumière dans les yeux que je ne lui avais jamais vue auparavant. Elle se tenait à côté de son placard et m'a demandé : «*Susanna, pouvez-vous m'aider ? Vous avez toujours l'air si jolie. J'aimerais me faire belle moi aussi, aujourd'hui. Pensez-vous que cette jupe va avec ces leggings ?*»

Waouh ! Je n'en croyais pas mes oreilles ! Cette femme ne s'était jamais souciée de son corps depuis aussi longtemps que je la connaissais. Lui faire prendre une douche était un véritable combat. Et voilà qu'elle avait le désir d'honorer son corps et de prendre soin d'elle-même comme jamais auparavant !

Et cela ne s'est pas arrêté là. Les jours et les semaines qui ont suivi, les patients ont commencé, les uns après les autres, à s'habiller et à demander des conseils de style. S'il y avait eu un prix pour le service le mieux habillé, nous l'aurions gagné !

Cela n'a l'air de rien, mais c'était un pas de géant dans la vie de ces personnes d'inclure leur corps, de l'honorer, et de faire un pas en direction du choix de vivre.

Vous ne savez jamais qui vous allez inspirer en choisissant d'être vous. Vous pouvez être surpris de découvrir de quelle manière vous pouvez vraiment inspirer le monde et les gens autour de vous.

Et souvent, ce sont justement les choses qui sont tellement aisées et normales pour vous que vous n'y pensez même pas… *Votre différence change le monde, tout de suite.*

LA PREMIÈRE FOIS QUE J'AI SU QUE J'ÉTAIS VRAIMENT MOI...

Beaucoup de choses ont changé pour moi quand j'ai commencé à être davantage qui je suis vraiment. Tout à coup, j'étais en interaction avec plus de gens. Des amis, mais aussi des étrangers, s'arrêtaient littéralement pour me demander ce que je faisais de différent pour avoir l'air et être aussi heureuse tout le temps. J'ai commencé à choisir des choses qui étaient amusantes pour moi au lieu de répondre aux projections des autres.

Et qui plus est, j'ai réalisé qu'une chose pour laquelle je m'étais donné tort tout au long de ma vie, à savoir ma nature gentille et attentionnée, était en réalité ma force. C'est ce qui m'a aidée à guérir et à créer un maximum de changements dans la vie des gens.

J'ai réalisé que faire quelque chose à partir de la joie que cela procure crée tellement plus que de simplement rechercher la perfection.

—*Smriti Goswami, Inde*

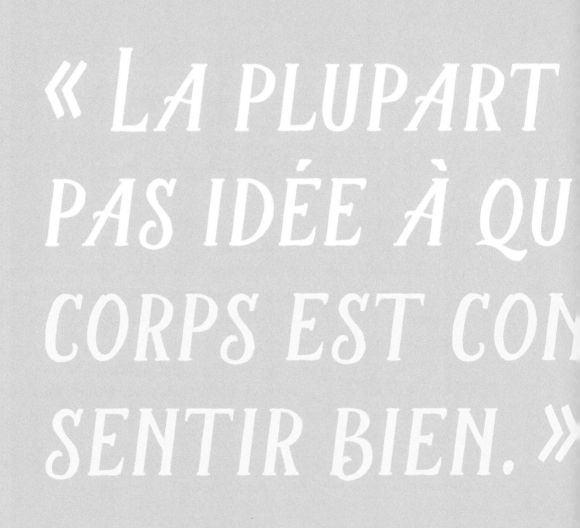

« La plupart
pas idée à qu
corps est con
sentir bien. »

ES GENS N'ONT

L POINT LEUR

U POUR SE

—Kevin Trudeau

LA REINE DE L'AUTOJUGEMENT

Betsy McLoughlin, États-Unis

Vous êtes-vous déjà senti déconnecté de vous-même et de votre corps ? Eh bien, ce fut mon cas pendant la majeure partie de ma vie !

J'ai sacrément jugé mon corps, dans chacune des différentes tailles que j'ai pu avoir — d'une taille 44 jusqu'à une taille 62 femme dans laquelle je rentrais à peine. Je me suis jugée au point de me retrouver en dépression sévère et d'en arriver à envisager le suicide. J'ai également eu plusieurs maladies, dont le cancer.

Sans m'en rendre compte, je m'étais exilée de moi-même. J'avais littéralement érigé d'énormes murs épais autour de moi avec ma plus grande taille de corps, ainsi que des murs émotionnels beaucoup plus grands que je ne pouvais l'imaginer.

Je n'avais aucune idée de qui j'étais. J'avais des lueurs de moments de bonheur fugaces émanant de moi — simplement pour me perdre dans le trou noir infini de l'autojugement, de la haine de moi et du dénigrement de mon corps.

Après des années et des années de cette spirale qui n'en finissait plus dans le bourbier de cet exil que je m'étais imposé, j'ai dit ASSEZ !

J'étais tellement lasse d'avoir mal dans mon corps et de m'entendre me plaindre en permanence. Quelque chose devait changer, ou je ne voulais vraiment plus être sur cette planète à vivre la vie que je vivais.

Avez-vous déjà remarqué que, lorsque vous faites une demande de quelque chose, des opportunités commencent à se présenter pour contribuer à votre demande ? L'Univers est en quelque sorte brillant de cette manière… si vous demandez ! J'ai commencé à voir des possibilités là où, auparavant, je n'avais vu qu'un sombre désespoir.

Un jour, une amie m'a parlé d'Access Bars®, et cette conversation de deux minutes a changé ma vie. Access Bars®, ce sont 32 barres d'énergie qui traversent ou sont autour de la tête et sont reliées à différents aspects de votre vie. Un toucher léger de ces points commence à dissiper l'énergie qui s'y trouve bloquée. Lorsque ces points ont été touchés, j'ai été stupéfaite de la manière dont je me sentais, simplement parce qu'on m'avait touché la tête ! Après ma première séance d'Access Bars®, j'étais calme et en paix, je n'avais plus de bavardage mental de jugement et j'étais heureuse ! Ce fut le début du changement de vie que j'avais exigé de voir apparaître.

Depuis, j'ai demandé qu'on me fasse les Bars aussi souvent que possible… Lorsqu'il s'est écoulé trop de temps, mon corps réclame une séance. Je commence à avoir des maux de tête ou à me sentir grincheuse. Dès que mes Bars sont faites — BOUM — je suis de nouveau MOI et les maux de tête et l'état grincheux disparaissent.

Je continue à demander plus de communion avec mon corps, plus d'aisance dans ma vie, et devinez quoi ? Cela se présente de manière délicieuse et amusante !

Je ne cache plus qui je suis. L'autojugement constant de la taille de mon corps est parti… quelle que soit ma taille ce jour-là.

Cette libération du jugement a déverrouillé tout ce que je cachais derrière les murs épais. Désormais, je peux tout embrasser de moi… mes belles imperfections, et célébrer tout ce que j'ai créé !

Je suis reconnaissante pour ce voyage dont l'intégralité a contribué de manière dynamique à ma vie.

Je suis ici pour vous dire, mes amis, qu'il est totalement possible de changer votre vie si vous désirez quelque chose de différent ! Je vous encourage à demander et à voir ce qui se présente pour vous !

Si la reine de l'autojugement peut devenir elle-même et bannir le jugement… *vous aussi !* Vous pouvez créer la vie que vous désirez, mes amis !

COMMENT SAVEZ-VOUS QUAND VOUS ÊTES VOUS ?

Je sais que je suis moi quand un sentiment de joie et de bonheur s'élève en moi que je ressens dans toutes mes cellules. Et à ce moment, je sais que je peux tout réussir et que je peux tout créer. Il ne s'agit pas de COMMENT. Il s'agit simplement d'ÊTRE.

—*Berna Sirin, Turquie*

PRENEZ UN STYLO

COMMENT SAVEZ-VOUS QUAND VOUS ÊTES VÉRITABLEMENT VOUS ?

_____

_____

_____

_____

_____

_____

C'EST D'ÊTRE VRAIMENT SOI

LA FEUILLE

Angela Kovacs, Hongrie

Un matin, je me suis réveillée avec une profonde douleur. Cela s'était produit tant de fois, notamment quand il pleuvait le soir, que je n'étais pas tellement surprise. Cela semblait cependant pire que la normale.

Il m'a toujours fallu une heure pour échauffer mes articulations avant de pouvoir partir travailler… Et lorsque j'arrivais au travail, je ne m'autorisais pas à souffrir de ma propre douleur. Au lieu de cela, j'écoutais les problèmes des autres.

Ce jour-là, j'ai emprunté la route habituelle à vélo pour aller au travail.

Le vent me soufflait au visage, et je me suis détendue.

Puis une feuille est tombée devant moi, lentement. Le temps s'est arrêté. L'espace s'est expansé. Je riais comme une folle et je pleurais en même temps sur la feuille qui avait atterri sur mon vélo.

C'était comme si ce bref moment avait duré une heure.

Et cette seule feuille m'a donné l'inspiration d'aller vers autre chose, vers une énergie différente, un espace différent, tout différent.

Cela a changé ma journée, mon univers, et m'a transmis le message qu'il y a autre chose de disponible ici. Je ne suis pas seule.

Il y a une contribution tout autour de nous.

Si chaque moment simple et chaque feuille peuvent être une telle invitation, quoi d'autre est possible alors ?

Si chaque molécule peut être une telle invitation, que pouvons-nous demander, recevoir et créer d'autre dans le futur ?

VOUS RETROUVER, QUAND VOUS VOUS PERDEZ...

J'ai un processus simple en quatre étapes pour me retrouver lorsque je suis perdue.

Étape 1. Observer que je suis perdue.
Oh, je suis encore en train de bavarder dans ma tête, rejouant une histoire du passé, ou me préoccupant de l'avenir. Ou je ressens de la lourdeur ou de la tension dans mon corps qui n'était pas là tout à l'heure. Ou je me comporte de manière bizarre, ou je juge ou dis quelque chose qui n'est pas mon point de vue.

Étape 2. Choisir
OK, je suis perdue. Est-ce que j'aimerais changer cela ? Parfois, je veux vraiment finir de me raconter encore cette histoire, ou m'adonner à la lourdeur ou à la tension ou à la confusion qui n'est pas la mienne. C'est OK. Je repasserai dans quelques minutes.

Étape 3. Demander

Les questions ouvertes sont comme une boussole magique pointée vers moi. Comme ces questions : « À qui ça appartient ? », « Qui je choisis d'être ? », « Qu'est-ce qui est juste à mon sujet que je ne saisis pas ? » Les questions m'aident à me ramener dans le présent et à créer de l'espace pour une possibilité différente. Elles m'invitent à observer ce qui est vrai pour moi. Instantanément, je reviens à moi et à mon corps, au présent et consciente du moment, en étant moi. Et c'est la plus belle des sensations.

Étape 4. Reconnaître

Maintenant, j'observe à quoi cela ressemble quand je suis moi. Je reconnais le choix que j'ai fait pour être moi, et le changement que j'ai créé. Salut, moi ! *Je suis de retour !*

— *Kristen Tromble, Alaska, États-Unis*

« Si vous ne vous arrêtez pas, vous ne pouvez pas échouer. »

—Dr. Dain Heer

COMMENT SAVEZ-VOUS QUAND VOUS ÊTES VOUS ?

Je sais que je suis moi quand je suis remplie de joie. Je n'ai pas nécessairement besoin d'être bruyante et extravertie. C'est l'espace de joie où je ne suis ni en réaction ni en lutte. Être moi, c'est ne pas m'éloigner de ce que je sais, même si c'est inconfortable pour les autres, ou même pour moi.

—*Doris Schachenhofer, Autriche*

MA PRINCESSE CROTTÉE

Doris Schachenhofer, Autriche

Ma fille s'autorise à être la princesse, ainsi que la fillette qui joue dans la boue. Je peux l'observer être totalement elle-même en permanence. Elle m'inspire.

Je la regarde changer des situations en quelques secondes. Elle parle à tout le monde, partout. Elle rencontre des gens et dit simplement « bonjour », et leur univers fond, quel que soit ce qu'ils étaient en train d'expérimenter quelques instants auparavant. La facilité qu'elle a à être elle-même est une telle invitation que nous pouvons transformer chaque moment de notre vie en quelque chose de plus grand si nous le choisissons.

Elle est la joie incarnée, et elle tient à ce que tout le monde sache que la vie peut être amusante.

Elle a cinq ans maintenant, et je dois dire que j'ai souvent rejeté son invitation et que j'ai juste été agacée quand elle arrivait pour changer la situation. Désormais, je peux la recevoir davantage, et j'ai une profonde gratitude.

Ce que j'aime le plus, c'est qu'elle me montre qu'elle n'a absolument aucun point de vue et que rien n'est pertinent longtemps. Parfois, je lui fais mes excuses pour ce que je lui ai dit, ou la manière dont j'ai agi envers elle, et elle me répond : « *Tout va bien, maman.* » Après cela, elle retourne à ce qu'elle faisait.

Cela m'étonne à chaque fois, et c'est un tel cadeau pour moi de ne pas me juger, et de regarder quoi d'autre est possible et ce que je veux choisir de différent.

Elle change indéniablement mon univers en étant elle-même.

COMMENT SAVEZ-VOUS QUAND VOUS ÊTES VOUS ?

◆━◆━◆━◆━●━◆━●━◆━◆━◆━◆

Si je suis vraiment moi, je suis spacieuse. Vous vous demandez peut-être : « *Que diable cela signifie-t-il ?* » Pour moi, cela veut dire que je ne me soucie pas pour des petits riens.

Lorsque je suis spacieuse, très peu de choses sont significatives ou semblent importantes. Je me réveille joyeuse et pleine de gratitude pour les oiseaux qui chantent ou la couleur des nuages avant le lever du soleil, ou la lumière dans la chambre quand le soleil commence tout juste à percer au-dessus des montagnes.

Cette gratitude qui m'envahit est un indice infaillible pour moi que je suis moi-même.

—*Corinna Stoeffl, Allemagne*

« *LA VIE*
QUESTION
ET CHAQUE C.
FAITES VOU.

EST UNE
DE CHOIX,
OIX QUE VOUS
FAÇONNE. »

—John C. Maxwell

ÊTRE MOI AVEC MES ENFANTS

Laura Simmonds, Royaume-Uni

Être une maman célibataire avec trois belles adolescentes n'est pas toujours facile. Et pourtant, je perçois désormais une légèreté en cela qui me surprend encore, par moments.

Je me souviens du moment où j'ai remarqué pour la première fois qu'il y avait simplement une aisance dans tout cela qui n'avait jamais été présente auparavant. C'était il y a environ deux ans. Au début, j'ai mis cela sur le compte de l'âge, le justifiant comme une nouvelle phase avec des enfants plus âgés et plus mûrs. *Ce que je n'ai pas reconnu au début, c'est le changement que j'avais choisis d'ÊTRE.*

Avant cela, je me souviens d'avoir regardé ma vie et de m'être interrogée sur toutes les choses qui ne fonctionnaient pas pour moi. Ma vie avait pratiquement été axée en totalité sur le bonheur de tout le monde. D'une certaine manière, je m'étais convaincue que moi, la femme forte et indépendante, je n'avais pas vraiment besoin d'être heureuse. À bien des égards, je ne comptais même pas du tout : je n'étais tout simplement pas une priorité. J'étais une MÈRE après tout, et si tout le monde était heureux, alors j'étais heureuse. Je me suis réveillée tôt, un matin, alors que le soleil se levait et que la rosée était encore fraîche. Je suis allée me promener dans la campagne magnifique où j'ai rencontré quelques lapins dans un champ, plus loin. Certains d'entre eux jouaient, tandis que d'autres broutaient dans le calme et la tranquillité du chemin qui s'ouvrait devant eux.

En m'arrêtant pour les observer, j'ai regardé et remarqué que chacun d'eux faisait ce qu'il voulait, et qu'il y avait entre eux une sensation d'aisance d'être simplement ensemble. « Qu'est-ce que c'était ? », me suis-je demandé. « *Que sont-ils que nous ne sommes pas ?* » J'ai commencé à réfléchir.

Et puis j'ai su ; un mot est simplement venu se déposer dans mon univers et a tout éclairé, tel un phare : LE LAISSER-ÊTRE !

C'est à ce moment que tout a commencé à changer, et être une maman est devenu synonyme de plus d'aisance et de joie, plutôt qu'un défi. C'est le moment où j'ai commencé à remettre en question partout où je n'avais pas de laisser-être pour moi, partout où je n'avais pas de laisser-être pour mes enfants et partout où je ne m'incluais pas, MOI. De cet espace, j'ai exigé un changement.

C'est à ce moment que j'ai choisi quelque chose de différent : *J'ai commencé à m'inclure dans mes choix.* J'ai commencé à choisir pour moi, pour mon bonheur et pour mon être. Et en faisant cela, j'ai commencé à voir avec mes propres yeux le changement et le beau cadeau que cela représente.

C'était comme une baguette magique qui répandait une lumière chaleureuse et rayonnante vers tout le monde autour, notamment vers mes filles. Elles ont commencé à choisir cela aussi !

J'ai remarqué que je n'avais en réalité pas besoin d'en FAIRE tant que cela pour que les autres soient bien. De fait, il suffisait simplement que je **sois moi**.

COMMENT SAVEZ-VOUS QUAND VOUS ÊTES VOUS ?

Je sais que je suis vraiment moi lorsque je peux percevoir que j'ai le vent dans les voiles. Autrement dit, je suis vraiment MOI quand je ne me coupe d'aucune partie de moi.

Ce qui est drôle dans tout cela, c'est que, lorsque toutes les parties de vous se présentent, jouer petit commence à être de plus en plus difficile. Quand on a le vent dans les voiles, les choses qui vous arrêtaient habituellement (le jugement, la projection, la peur, le rejet et tout cela) ne vous font plus le même effet, et le laisser-être commence à venir beaucoup plus vite également.

—*Sarah Grandinetti, États-Unis*

AU-DELÀ DE LA MÉDIOCRITÉ

Lisa Henriksson, Suède

Chaque fois que je me réveille grincheuse, je tourne la tête pour regarder une photo que je garde à côté de mon lit.

C'est une photo de ma fille, Nova, sur scène, radieuse, son sourire plus éclatant que le soleil lui-même, les cheveux en bataille, dans une tenue très, très décontractée.

Notre famille vit en Suède, où la plupart des gens partagent le point de vue que l'on ne doit jamais se démarquer ou être différent. Il est préférable d'être aussi normal que possible, pour vivre sa vie dans un équilibre mesuré.

Pas Nova.

Chaque fois que je regarde cette photo de ma fille, elle me rappelle à quel point c'est fabuleux, la manière dont elle croit profondément qu'être elle-même est extraordinaire, brillant à bien des égards, combien elle sait sur un plan profond qu'être fidèle à elle-même est beaucoup plus important que de s'intégrer. C'est ce qui compte véritablement.

La photo a été prise il y a de nombreuses années, alors que Nova avait passé une semaine chez son papa. Ce matin-là, il l'avait envoyée à l'école sans se rappeler que, le soir-même, elle allait participer à un grand spectacle pour tous les parents, dans le hall de rassemblement de l'école.

Lorsque je suis arrivée à l'école, je l'ai vue sur scène dans une tenue qui ressemblait à son pyjama et avec des cheveux qui n'avaient pas vu de brosse depuis des jours. Elle se « démarquait » sans conteste.

Si cela s'était produit quelques années auparavant, je me serais sentie extrêmement mal à l'aise. J'aurais été sérieusement énervée envers mon ex-mari d'avoir oublié cet événement important dans l'univers de notre fille. J'aurais été désolée pour Nova et profondément embarrassée devant tous les autres parents et enseignants.

Mais ce soir-là, même si j'étais très consciente des jugements de certains parents par rapport à notre petit rayon de soleil débraillé, cela ne me dérangeait pas le moins du monde. De mon nouveau point de vue, la tenue de Nova, ou l'opinion de qui que ce soit à son égard ou à mon égard en tant que mère, n'était pas un problème. Ces opinions n'appartenaient ni à Nova ni à moi-même.

Et manifestement, la chevelure très ébouriffée de Nova et sa tenue très anormale n'avaient pas d'importance pour elle non plus. Je pouvais la voir me sourire d'un air radieux depuis la scène, et j'ai pleinement profité du fantastique spectacle sans souci.

Dans la voiture, sur le chemin du retour, assise à côté de moi, Nova avait l'air tellement heureuse et contente. Puis, soudain, elle a dit : « *Maman, Ellen a dit que j'étais bizarre de ne pas porter mes plus beaux vêtements pour le spectacle, comme tous les autres enfants.* » J'allais lui demander ce qu'elle ressentait par rapport à cela, mais elle avait quelque chose à ajouter. « *J'ai dit à Ellen : "Peu importe ce que je porte ou à quoi je ressemble. Je sais que je suis merveilleuse et jolie juste comme je suis !"* »

Ma petite beauté, sage et magique, avait choisi l'une des attitudes les plus gratifiantes que l'on puisse avoir, je crois : savoir que l'on est brillant et beau, indépendamment de ce que n'importe qui d'autre pense ou dit, et indépendamment de son apparence ou de ce que l'on fait.

Personne ne peut vous enlever cela.

Ce soir-là, dans la voiture, mon cœur a fondu. Je me suis sentie si reconnaissante que ma fille n'ait pas acheté — et n'achète toujours pas — la médiocrité obligatoire et la fausse sécurité d'être normal, de ne pas se démarquer, de se fondre dans la masse.

C'est tellement cool qu'elle ne prenne pas et ne s'approprie pas les jugements et les projections de tout le monde, comme je l'avais fait à son âge, et pendant beaucoup trop d'années après. Elle est ce qu'elle est, et elle s'aime quoi qu'il arrive. Comment cela devient-il encore plus beau que cela ?

Si je devais choisir entre des cheveux démêlés et l'amour de Nova pour qui elle est, je choisirais l'amour tous les jours. *Avec cet amour, cette lumière, cette confiance, quoi d'autre est possible ?*

VOUS RETROUVER,
QUAND VOUS VOUS PERDEZ...

Chaque fois que j'aimerais me «retrouver», la manière la plus aisée et la plus rapide pour moi est de me mettre à chanter ou à écouter de la musique, ou simplement de bouger mon corps, ce qui crée cette connexion et un niveau de présence avec mon corps où je sais simplement que je suis de nouveau moi.

—*Marja Zapušek, Slovénie*

MAMAN, EST-CE QUE TOUT VA BIEN ?

Katarina Wallentin, Suède

La plupart des enfants sont comme des récepteurs radio ambulants ! Ils captent tout et sont extrêmement (à un point exaspérant) conscients de ce qui se passe autour d'eux, dit ou non dit. Et contrairement à nous tous, les enfants n'ont pas encore appris à faire comme si rien n'était différent lorsque l'énergie change ou que l'humeur varie.

Ma fille sait en une fraction de seconde si quelque chose m'affecte. Elle entre dans ma chambre et me demande : *« Maman, est-ce que tout va bien ? »*

À ce moment-là, je peux choisir d'être parfaite ou je peux choisir d'être moi. Et mon choix va donner à ma fille différents cadeaux pour l'avenir.

Explorons simplement deux réponses possibles dans une situation où j'ai reçu un appel téléphonique inattendu qui m'a contrariée.

Ma fille passe la porte et demande : *« Maman, est-ce que tout va bien ? »*

Option 1 :
Je réponds : « *Oh oui, bien sûr ! Tout va bien, ma chérie.* »

Option 2 :
Je réponds : « *Je suis juste un peu contrariée. Je viens de recevoir un appel d'un ami qui m'a donné des nouvelles qui m'ont vraiment mise en colère.* »

Or, si je choisis l'option 1, ma fille repartira en doutant d'elle-même. Elle cessera de se fier à ce guide tellement fabuleux dans la vie qu'est son instinct. Elle doutera de ce qu'elle sait et de sa capacité à lire les personnes et les situations.

Si je choisis plutôt la deuxième option, et que je choisis de baisser mes barrières et d'être vulnérable à l'égard de ma fille et de ce qui se passe réellement, cela lui permettra de reconnaître ce dont elle est consciente et ce qu'elle sait, et de finir par se faire encore plus confiance dans le futur.

Elle saura qu'elle sait.

En outre, cela lui ouvrira l'espace de vulnérabilité qui est le sien. Cela lui montrera que tout est permis et inclus dans notre conversation.

La prochaine fois que je lui demanderai : « Ma chérie, est-ce que ça va ? », elle saura que c'est OK de baisser également ses barrières, et répondra en fonction de ce qui est, et non de ce qui est attendu.

Vous voyez, la plupart d'entre nous passent toute leur vie à essayer de dire ce qui est attendu, normal et rationnel. Nous essayons constamment de prouver à quel point nous sommes bons et avons raison, tout en pensant que nous sommes mauvais et avons tort à l'intérieur.

Nous apprenons très tôt à éteindre ce récepteur radio, car nous doutons des informations énergétiques que nous recevons. Et une fois que les barrières sont levées, nous ne pouvons même plus nous entendre nous-mêmes.

La vulnérabilité peut ouvrir une façon complètement nouvelle de naviguer dans le monde, à partir de ce que vous savez. Être vulnérable avec vous-même, c'est ne jamais lever de barrière à qui vous êtes vraiment, ou à ce qui se passe autour de vous. Cela vous permet d'être présent à tout, et de pouvoir être tout.

Le fait est que vous ne pouvez pas enseigner à vos enfants la vulnérabilité.

La seule façon de donner à votre enfant le cadeau de la vulnérabilité est de l'être.

Oui, il peut sans aucun doute y avoir des moments où il est approprié de ne pas dire à un enfant exactement ce qui se passe. Il y a des moments où ce qui va créer le plus sera de faire appel à un pieux mensonge afin de créer la sensation de sécurité qui est requise.

Et vous savez quand ces moments-là se présentent. Ce ne sont pas ceux dont je suis en train de parler. Je parle de toutes les autres fois.

La prochaine fois que votre enfant vous demandera : « *Maman, est-ce que tout va bien ?* », que diriez-vous de choisir la réponse vulnérable ? **Et d'être vous.**

LA PREMIÈRE FOIS QUE J'AI SU QUE J'ÉTAIS VRAIMENT MOI...

Lorsque j'ai réalisé que je ne choisissais plus de filtrer les choix que je faisais dans ma vie pour plaire aux autres. Ce fut libérateur au-delà des mots.

—*Victoria Hickman, Australie*

« IL EXISTE DEUX FA
POUVEZ VIVRE COMM
MIRACLE OU VOUS F
SI TOUT ÉTAIT

ONS DE VIVRE : VOUS

SI RIEN N'ÉTAIT UN

UVEZ VIVRE COMME

UN MIRACLE. »

—Albert Einstein

LE CHOIX DE VIVRE

Margit Krathwohl, Allemagne

J'en étais arrivée à un stade de ma vie où je ne voulais plus essayer d'autre méthode ni d'autre technique pour améliorer ma vie. Je me sentais coincée avec mes limitations, et il me semblait que je n'étais pas ouverte à un changement. C'est du moins ce que je pensais…

Peu de temps après, je suis tombée sur des entretiens pour une modalité différente en ligne et étonnamment, ce dont il était question était exactement ce que je savais sans avoir de mots pour le décrire. J'ai donc choisi de participer à une classe appelée « 5 jours pour changer votre vie ». Avant le début de la classe, je me souviens avoir pensé : *« Ma vie a intérêt à changer ou je me tire d'ici ! »*

Quelques semaines plus tard, on m'a diagnostiqué un cancer. Ce fut un choc pour moi, car je n'avais jamais été malade auparavant. J'étais convaincue de pouvoir me guérir par moi-même. Mais la tumeur dans mon corps continuait de grossir quoi que je fisse. Lorsque j'ai accepté d'aller à l'hôpital, les médecins m'ont dit qu'ils ne pouvaient rien faire pour moi, si ce n'est soulager la douleur.

J'ai réalisé à ce moment-là que je devais faire un choix.

Comme c'était le week-end, j'avais deux jours pour y réfléchir sans trop d'agitation autour de moi. Soit je mourais (et prenais un autre corps), soit je pouvais garder ce corps (que j'aimais) et vivre.

L'élément clé pour moi était que j'étais séparée de ma famille et de tous ceux que je connaissais. J'étais en mesure de faire ce choix juste pour moi, sans subir l'effet de toutes les projections, attentes et de tous les jugements des autres.

Et j'ai fait un choix. Je suis sûre que ce fut, en fait, le premier véritable choix pour moi en étant moi que j'aie jamais fait jusqu'ici.

J'ai choisi de vivre ! J'ai choisi d'avoir la vie phénoménale que je n'avais jamais eue auparavant et d'être heureuse ! J'ai parlé à mon corps : *« OK, je ferai tout ce qui est requis pour ta guérison. »* Avec ce choix, j'étais prête à être et à faire tout ce qu'il faudrait pour que mon corps se rétablisse.

Ce qui s'est alors produit ressemblait à des montagnes russes. À l'hôpital, des opérations et des traitements inattendus devaient soudain être effectués, permettant de me retirer la tumeur… quelque chose qui ne semblait soi-disant pas possible auparavant.

Depuis, la vie est un voyage palpitant. Cela m'a donné une sensation de paix, et une volonté de recevoir toutes ces énergies que j'avais rejetées auparavant, dont je n'étais même pas consciente auparavant. Tout recevoir, ne rien juger, me donne enfin une sensation d'aisance et tellement plus de plaisir à être moi !

COMMENT SAVEZ-VOUS QUAND VOUS ÊTES VOUS ?

Je sais que je suis moi lorsque, quoi qu'il se passe autour de moi, j'ai de l'espace et de l'aisance et de la clarté. Je sais que je suis moi lorsque je suis heureuse. Je sais que je suis moi lorsque ma vie est en mouvement et lorsque je perçois la tonalité de mon corps, en résonance avec les personnes et les choses et la Terre autour de moi.

Je sais que je suis moi lorsque je fais un choix, en particulier lorsque je dis « oui » à quelque chose que je n'ai jamais voulu choisir auparavant. Je sais que je suis moi lorsque je suis avec quelqu'un et que son univers évolue, et que le mien évolue aussi.

—*Kristen Tromble, Alaska*

FACE À LA GRATITUDE

Peony Chung, Hong Kong

On dit que, face à la gratitude, le jugement ne peut pas survivre ou se maintenir. C'est vrai.

Lorsque j'étais plus jeune, on m'a dit que je n'avais pas de gratitude pour quoi que ce soit dans ma vie. J'ai passé dix-huit ans à tenter de me réparer. J'ai essayé désespérément de faire de moi quelqu'un de suffisamment bon et d'être plus reconnaissante, tout cela en fonction des opinions et des jugements que les autres avaient de moi.

J'étais tellement malheureuse, et je prenais conscience que je m'étais moi-même piégée dans une réalité minuscule toute ma vie. Finalement, j'ai atteint un point de basculement : j'ai créé une demande pour changer cela ou mourir.

Un soir, peu de temps après, je lisais le livre : *Sois toi et change le monde*, du Dr Dain Heer, et il posait la question : «QUELLES SONT LES TROIS SITUATIONS DANS LESQUELLES VOUS AVEZ DÉJÀ EU UNE SENSATION PUISSANTE D'ÊTRE VRAIMENT VOUS ?»

Cela m'a ramenée au moment où mon père était mort quelques années plus tôt.

C'était après le suicide de ma mère et tous les traumatismes, la tristesse et les émotions qui ont suivi dans ma famille. En gros, mon père et moi avions passé toute notre vie à nous battre pour remettre les choses en ordre… en vain.

Ce n'est qu'après être resté étendu sur son lit de mort pendant vingt-quatre heures — alors que son esprit ne pouvait plus fonctionner, mais que son corps avait toujours des sensations et pouvait m'entendre — qu'il a enfin pu me recevoir sans aucun jugement.

Enfin, tout le monde qui était là, y compris mon père, avait une sensation de paix, de laisser-être, de gratitude, de vulnérabilité et d'honneur.

C'était la première fois de ma vie que j'étais vue et reçue en étant moi, sans être jugée du tout par ma famille.

J'étais donc là, à lire le livre, en réalisant que j'avais une idée de ce à quoi être soi pouvait ressembler, même si cela n'a pas de forme solide ou ne peut pas être cerné.

J'étais tellement reconnaissante. J'ai pleuré encore et encore, et mon corps a libéré toute la charge bloquée pendant tant d'années.

Être est un voyage sans fin.

Personne ne peut me dire « comment » avancer dans ma vie, moi y compris.

En fait, je dois cesser de me mettre en travers de mon propre chemin.

Le choix est la clé. J'ai appris à continuer de choisir et à continuer d'exiger d'être moi, quoi qu'il arrive. Personne ne peut me dire quoi faire ni comment le faire. C'est seulement lorsque je choisis que la porte s'ouvre.

COMMENT SAVEZ-VOUS QUAND VOUS ÊTES VOUS ?

Lorsque je n'ai pas à faire semblant ni à essayer de m'aligner sur une situation quelconque, quand je suis vraiment moi plutôt que quelqu'un que je suis censée être, et quand je n'ai pas à faire d'effort et que ça s'exprime aisément. Alors je sais véritablement que je suis moi.

—Ayla Aydin, Turquie

« Aujourd
jour merveil
jamais vu a

HUI EST UN
'UX. JE NE L'AI
PARAVANT. »

—MAYA ANGELOU

ÊTRE SOI AVEC LE DEUIL

Wendy Mulder, Australie

Lorsque nous nous laissons envahir ou consumer par le chagrin, il peut nous sembler impossible de croire qu'il y a quelque chose de plus grand au-delà. Et si la clé pour se remettre du deuil était de se redécouvrir ? Et pourtant, même la plus simple évolution de notre point de vue peut nous permettre un niveau de paix, d'aisance, de possibilité, et même de magie, que nous n'avions jamais cru disponible auparavant.

Lorsque j'ai choisi d'être plus moi dans les soins que j'apportais à ma mère mourante, j'ai commencé à créer, avec aisance, ce que bien des gens croyaient impossible dans ces situations.

Ce qui s'est passé, en étant prête à demander en permanence de plus grandes possibilités et en étant vulnérable et honnête par rapport à ce que je désirais et avais besoin de choisir, c'est que je pouvais créer chaque moment, chaque choix, chaque « obstacle » comme un cadeau et une possibilité, plutôt que comme un problème.

J'ai pu également recevoir la joie d'être une contribution pour ma mère et d'être reconnaissante de l'avoir dans ma vie tout en restant engagée dans ma vie quotidienne. Être moi m'a permis de choisir d'apporter des soins sans avoir à subir le «burn-out», l'épuisement ou le surmenage qui nous empêche souvent de pouvoir être présents, conscients et à même de recevoir tout ce qui est disponible avec aisance.

Et si nous pouvions voir le deuil à partir d'un espace de laisser-être, de questions et de possibilités?

Je suis vraiment reconnaissante du cadeau que la prise en charge de ma mère a été dans ma vie et la vie des membres de ma famille. Ce qui aurait pu être un traumatisme et un chagrin interminable est devenu une prise de conscience du cadeau que chaque choix apporte et des mensonges de la perte que nous n'avons pas besoin d'acheter.

Si le deuil était un cadeau, quels choix pourrait-il nous offrir, et quels changements ces choix pourraient-ils apporter?

VOUS RETROUVER, QUAND VOUS VOUS PERDEZ...

Mon outil préféré pour revenir à moi-même est de me connecter à la Terre.

Si j'ai du temps, je préfère le passer dans la nature. Si je suis occupée et que cela doit se faire maintenant, ce moment-là est tout ce qu'il me faut pour me connecter à la Terre. Je peux faire cela n'importe où : à la maison entre des activités ou au milieu de la ville.

La Terre est toujours juste en-dessous, et même la maison, le béton ou le trottoir sont faits de matériaux qui proviennent de la Terre. J'ai juste à fermer les yeux et à me souvenir d'un moment unique dans la forêt profonde, dans les montagnes, sur la plage ou dans le désert.

Bam !

La connexion est là, et je redeviens moi.

—*Corinna Stoeffl, Allemagne*

NOUS, EN TANT QU'ÊTRES, SOMMES UNE DANSE

Katarina Wallentin, Suède

Récemment, ma maman est morte d'un cancer.

Alors qu'elle quittait ce monde, mon papa, mon frère et moi sommes restés assis auprès d'elle pendant les six dernières heures, en étant présents à chaque respiration pénible et superficielle ; inspiration et expiration, inspiration et expiration.

Chacun de ces derniers souffles devenaient soudain tellement précieux, après toutes ces centaines de milliers suivant des centaines de milliers de souffles qui avaient naturellement circulé dans son corps durant toute sa vie, auxquels on n'avait jamais vraiment réfléchi, que l'on n'avait jamais vraiment remarqués.

Nous lui disions : «*Tout va bien, tout est réglé, tu peux partir maintenant, tu es prête.*»

Inspiration et expiration.

Inspiration et expiration.

Nous disions : *« Tout va bien, on s'occupe de nous, tu peux partir maintenant, nous sommes prêts. »*

Inspiration et expiration.

Inspiration et expiration.

Et rien n'était requis dans cette chambre, si ce n'est d'**être**.

Les rôles, les relations, les intentions, projections, attentes, séparations et mensonges… tout s'évanouissait.

Nous existions dans un espace qui s'étendait bien au-delà de cette chambre, et bien au-delà de ce moment temporel. Et alors que les derniers rayons du soleil de cette soirée d'été balayaient son visage, ma mère s'en est allée. Un dernier souffle lent, hésitant, puis seul le corps est resté, tel une coquille vide, blanche et fragile.

À ce moment-là, il m'est apparu de manière ardente et limpide que nous, en tant qu'êtres, **sommes des vibrations d'énergie**. Nous sommes une onde acoustique qui, pendant une brève période, oscille et bouge et danse avec et dans un corps.

La manière dont ma mère dansait me manquera toujours. Et ma danse sera à jamais transformée par ces heures passées dans cette chambre.

Être moi, dans cette chambre, à l'hospice, ces heures avec les derniers soupirs de ma maman… c'était AISÉ. **Dans cette chambre, seul « être » pouvait exister.**

Être moi, les semaines suivant son départ, organisant les obsèques, triant des papiers, rencontrant des amis, de la famille et des voisins, ce fut un bien plus grand défi.

Chaque jour, je demandais : « *Si j'étais moi tout de suite, je serais QUI ?* »

Et je continuais de respirer.

Inspiration et expiration.

Inspiration et expiration.

Chaque jour, je demandais : « *Si j'étais moi tout de suite, je serais QUOI ?* »

Et je continuais de respirer.

Inspiration et expiration.

Inspiration et expiration.

Chaque jour, je demandais : « *Si j'étais moi tout de suite, je serais COMMENT ?* »

Et je continuais de danser.

Un pas en avant, un pas en arrière.

Un pas en avant, un pas en arrière.

Avec le temps, c'est devenu plus aisé.

Ça, je sais faire : être une nouvelle danse chaque jour. Parfois, c'est MAGNIFIQUE, parfois drôle et parfois hésitant, ou même bâclé.

Mais chaque danse est précieuse.

ÊTRE SOI,
ÊTRE PRÉSENT

COMMENT SAVEZ-VOUS QUAND VOUS ÊTES VOUS ?

Les moments où je sais que je suis moi, mes cheveux pourraient se dresser sous l'excitation d'être en vie, et en même temps, il y a une détente et une paix dans tout mon univers.

Je sais que je suis et que je fais ce qui m'apporte vraiment de la joie… qu'il s'agisse de sauter d'un avion, d'atterrir dans un nouveau pays prête pour l'aventure, ou de passer la journée à explorer la nature avec mes enfants.

—*Emily Evans Russell, États-Unis*

« VOUS N'ÊTE

SUIVRE. VOUS

ÊTRE SOURCE D

PAS ICI POUR

TES ICI POUR

INSPIRATION. »

—DAIN HEER

NE JUGEZ JAMAIS VOS LARMES

Pragya Sabine Erlei, Allemagne

En perdant tout, je n'ai pas eu d'autre choix que d'être simplement moi.

Il y a quelques années, tout s'était écroulé, et je n'avais vraiment pas idée ni de quoi faire, ni d'où aller ensuite.

Je me cachais dans une pièce, afin que personne ne puisse voir mes larmes. Et puis, une amie m'a trouvée là et m'a invitée à m'asseoir avec elle alors que je pleurais, pour qu'elle puisse me prendre dans ses bras.

Au bout d'un petit moment, toujours perdue dans mes larmes après toutes les choses apparemment terribles qui étaient survenues dans ma vie, mon amie m'a regardée et m'a dit : *« Tu as l'air si belle au milieu de tes larmes, ton visage est magnifique. »*

J'ai répondu, en sanglotant : *« Moi, belle ? Maintenant ? Je me sens tellement moche ! Comment puis-je être belle au milieu de tout cela ? »* J'avais tellement de jugement sur moi et le monde.

Quelques années plus tard, j'ai enfin compris ce qu'elle voulait dire.

Jusqu'ici, j'avais vu des gens, perdus dans ce même espace, avec leurs illusions de mondes parfaits qui s'effondraient, et c'était exactement le moment où ils étaient vraiment eux-mêmes.

Ce qui leur semblait être la fin du monde leur permettait d'être divinement, humblement, singulièrement, brillamment fidèles à eux-mêmes. Il y avait une innocence et une vulnérabilité dans ces moments qui étaient beaux... cela m'a ouvert le cœur immédiatement et m'a permis de simplement être présente.

Je sais que nombre d'entre nous n'aiment pas pleurer. Et si ce n'était que l'eau de la vie qui s'écoule à nouveau, là où elle était bloquée et stagnante ?

Je vous encourage à ne jamais juger vos pleurs. N'essayez pas de les retenir. Laissez-les couler, et choisissez ensuite ce que vous aimeriez faire.

Vos larmes sont peut-être encore plus belles que votre rire et que tout ce que vous essayez d'autre pour impressionner le monde. Vos larmes peuvent vous montrer ce qui est vrai pour vous à ce moment, et vous montrer l'étape suivante sur votre chemin.

Et si c'était se rassembler, et non s'effondrer ?

COMMENT SAVEZ-VOUS QUAND VOUS ÊTES VOUS ?

Je sais que je suis moi quand je suis en paix avec tout ce que je fais, suis et dis.

Il n'y a pas de doute, il y a de la légèreté et une sensation d'espace, où je n'ai pas à définir quoi que ce soit.

—*Norma Forestiere, Brésil*

« Être soi-même dan[s]
constamment de vous[...]
chose est le plus gran[d]

UN MONDE QUI ESSAIE

RANSFORMER EN AUTRE

ES ACCOMPLISSEMENTS. »

—Ralph Waldo Emerson

LA PREMIÈRE FOIS QUE J'AI SU QUE J'ÉTAIS VRAIMENT MOI...

La première fois que j'ai découvert que j'étais moi, c'est le moment où j'ai sauté d'un avion sans me sentir le moins du monde nerveuse.

Chaque étape de la préparation et du saut en parachute lui-même fut un moment de pure joie et d'excitation, et dès que nous avons atterri, j'ai voulu recommencer.

J'ai pris conscience que je n'avais véritablement aucune peur, et qu'au contraire, j'étais capable de reconnaître combien j'aime la vitesse et l'exploration de la plupart des choses que les gens « craignent ».

—*Laleh Hancock, États-Unis*

PAS BESOIN DE SE CACHER

Kristen Tromble, Alaska

Je suis moi, ici, et en étant présente.

J'écoute, je pose une question, et parfois je me contente de rester assise tranquillement, à écouter quelqu'un me parler d'une relation qui est en train de mal se terminer. Quelqu'un d'autre me parle de ses goûts en matière de porno ; quelqu'un me parle de sa difficulté par rapport au conflit entre son amour pour un proche qui est homosexuel et sa croyance qu'être homosexuel est mal ; quelqu'un me raconte avoir été accusé de maltraitance infantile, avoir été condamné et fait de la prison ; quelqu'un me parle de la fois où il a eu connaissance d'un plan pour tuer quelqu'un et s'est assuré que la personne était ailleurs, mais n'a rien fait pour l'empêcher ; quelqu'un me parle de la fois où il a tué quelqu'un ; quelqu'un me dit avoir tué son chien ; quelqu'un me dit qu'il aimerait mourir.

Je n'ai aucune formation de conseiller.

J'ai simplement l'espace nécessaire pour être, tandis que les gens me racontent des choses qu'ils pensaient ne jamais dire à quiconque. Et avec cette parole exprimée dans cet espace, une lourdeur est levée.

Il y a de l'espace pour eux et moi, pour nous, pour percevoir que l'action, l'émotion, la pensée, la chose « horrible » qu'ils avaient définie comme leur tort irrévocable n'est véritablement PAS qui ils sont.

Elle n'a pas à les définir pour le restant de leur vie. Elle n'a véritablement pas à les définir du tout.

Ils peuvent choisir d'être et de se créer différemment.

Peut-être peuvent-ils même être cet espace pour quelqu'un d'autre à l'avenir, qui leur racontera quelque chose d'« horrible » qui n'a plus besoin de les définir.

VOUS RETROUVER, QUAND VOUS VOUS PERDEZ...

L'espace de paix qu'offrent la nature, les enfants et les animaux me permet de me relier sur un plan cellulaire, moléculaire, à la complexe simplicité de la vie, et m'invite à me souvenir de qui je suis.

Je passe quelques instants à m'émerveiller de l'aisance avec laquelle les cellules et les molécules s'assemblent dans la nature pour créer la complexité d'une rose. Je suis intriguée par le chat qui s'arrête à mi-course pour observer et écouter attentivement le moindre mouvement dans l'herbe.

Tout mon corps commence immédiatement à se détendre lorsque je fais cela. Ma respiration change, les battements de mon cœur trouvent leur rythme et tout à coup, je suis à nouveau moi.

Un léger sourire, peut-être invisible, se dessine sur mon visage ; ma mâchoire se desserre, mon front se déride (et mon cerveau avec).

Les choses commencent à devenir plus claires et plus douces dans mon univers. Toutes les préoccupations se remplissent de cet espace d'aisance, et je me mets à rire en moi-même. Hahahaha, je suis de retour. Je recommence à être moi, et je sais avec certitude que tout est vraiment possible.

—*Kass Thomas, Italie*

FAITES UN PAS DE PLUS

Nous y voilà, à la toute fin de cette exploration à se créer, se choisir et être soi.

Avant de se dire au-revoir, j'aimerais vous faire cadeau d'un rappel, d'une manière de savoir quand vous êtes vous…

Une check-list… pour Être.

1. Vous vous aimez.

2. Vous êtes bienveillant envers ceux qui vous entourent. Très bienveillant. Quoi qu'ils choisissent.

3. Il n'y a aucune prise de conscience que vous ayez à éviter… le bon, le mauvais et le laid. Tout a une place dans votre univers. Vous pouvez être totalement présent à tout et à tout le monde.

4. Vous avez une sensation dynamique de paix. (Vous pouvez toujours être assez puissant pour déclencher un tsunami de changement avec votre petit doigt !)

5. *Vous êtes de la magie ambulante : à chacun de vos pas, quelque chose de nouveau et de merveilleux s'ajoute à la symphonie des possibilités.*

6. *Vous êtes en perpétuelle évolution !*

C'est-à-dire, vous-même. Voilà votre check-list.

Maintenant, si vous n'en êtes pas là tout de suite, pas de problème ! Je comprends tout à fait comment il semble parfois si difficile d'être ici et de mettre un pied devant l'autre pour faire le prochain pas.

Ne vous méprenez pas, j'en fais aussi l'expérience. Cela ne veut pas dire que vous ayez tort… ou que vous ne deveniez pas conscient. Cela fait partie de ce voyage, et c'est en partie pour cela que si peu de gens le choisissent.

Voilà ce qu'il en est : dès maintenant, grâce à vous et à vos choix, et grâce à nous et aux choix que nous faisons ensemble, se crée un nouvel espace où il y aura plus d'aisance pour tous ceux qui viendront après nous.

Vous, mon ami, simplement en demandant à Être vous, êtes à la pointe de la créativité de cette réalité et de la conscience. Vous êtes, dès maintenant, l'une des personnes les plus courageuses de la planète.

C'EST D'ÊTRE VRAIMENT SOI

Sachez-le. N'abandonnez jamais. Soyez vous dans l'instant et choisissez à partir de là. Faites un pas de plus. Puis un autre. Et encore un autre.

Et rappelez-vous, vous êtes une création permanente. Il n'y a rien de fini chez vous. Vous n'avez pas à «vous trouver», il n'y a rien à trouver. Votre mission, si vous choisissez de l'accepter, est de vous créer tel que vous êtes vraiment.

Vous êtes partant ? Et si vous étiez la différence que la Terre attendait ?

—*Dain Heer, Houston, Texas, États-Unis*

À DÉCOUPER ET À COLLER
SUR VOTRE FRIGO...

VOTRE CHECK-LIST POUR ÊTRE
De Dain Heer

1. *Vous vous aimez.*

2. *Vous êtes bienveillant envers les gens autour de vous. Très bienveillant. Quoi qu'ils choisissent.*

3. *Il n'y a aucune prise de conscience que vous ayez à éviter… le bon, le mauvais et le laid. Tout à une place dans votre univers. Vous pouvez être totalement présent à tout et à tout le monde.*

4. *Vous avez une sensation dynamique de paix. (Vous pouvez toujours être assez puissant pour déclencher un tsunami de changement avec votre petit doigt !)*

5. *Vous êtes de la magie ambulante : à chacun de vos pas, quelque chose de nouveau et de merveilleux s'ajoute à la symphonie des possibilités.*

6. *Vous êtes en perpétuelle évolution !*